CW01081421

Le jongleur le plus maladroit

Pour Gwénola,
E. B.-P.

Loi n° 49-956 du 16 juillet 1949 sur les publications destinées à la jeunesse, modifiée par la loi n° 2011-525 du 17 mai 2011.
ISBN : 978-2-09-253679-7
N° éditeur : 10240831- Dépôt légal : août 2012
Achevé d'imprimer en novembre 2017 par Pollina (85400, Luçon, Vendée, France) - 82789

Evelyne Brisou-Pellen

Le jongleur le plus maladroit

Illustrations de Nancy Peña

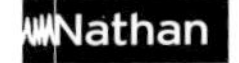

un

Une boule qui perd la boule

QUAND AYMERI le jongleur, son grand sac en bandoulière, passa devant la ferme, il entendit des cris. Surpris, il s'approcha à pas de loup et aperçut un homme grand et maigre, vêtu d'une cape noire, qui fouettait un paysan.

Le paysan pleurait :

– Arrêtez, messire l'intendant ! Arrêtez !

« Tiens tiens, se dit Aymeri, voilà donc l'intendant du château. »

L'homme à la cape noire cria :

– Je vais t'apprendre, misérable, à dissimuler du grain dans ta paillasse ! Le grain appartient à ton seigneur, tu dois le lui donner.

– Je veux bien donner au seigneur une part de ma récolte, gémit le paysan, mais si je lui en donne trop, je n'aurai plus assez à manger, et mes enfants non plus !

– Tu pourras toujours manger des glands et des baies de la forêt !

Il ne savait pas pourquoi, Aymeri détestait voir fouetter les pauvres.

Calmement, il sortit de son sac cinq grosses boules et se mit à jongler avec. Et voilà que, malencontreusement, l'une d'elles lui échappa et fila droit vers la tête de l'homme au fouet qui lui tournait le dos. Il y eut un bruit mat.

L’intendant tomba face contre terre et ne bougea plus.

Le paysan s’affola :

– Mon Dieu ! Qu’avez-vous fait, malheureux ? Vous avez assommé messire l’intendant ! Il va vous faire pendre !

– Ne t’en fais pas pour moi, répondit Aymeri, et aide-moi à transporter cet homme jusqu’au village, vite !

deux

Bien malade

Ce n'est qu'un long moment plus tard que l'intendant du château sortit péniblement de son sommeil forcé. Il regarda autour de lui, et ouvrit de grands yeux : que faisait-il ici, sur la place du village, avec la tête si douloureuse ?

– Ah ! messire ! lança gaiement Aymeri, vous voilà revenu à vous ! Quelle chance !

Nous avons craint que vous ne soyez très malade.

L'intendant considéra Aymeri avec inquiétude.

– Qui êtes-vous, demanda-t-il, et que faites-vous ici ?

– Je suis jongleur, messire, je m'appelle Aymeri. J'allais me préparer à faire mes tours

habituels lorsque je vous ai vu fléchir les genoux et tomber sur le sol. Cela vous arrive-t-il souvent ? C'est inquiétant, vous devriez voir un médecin.

L'intendant fronça les sourcils en se frottant la tête, puis il demanda :

– Qu'est-ce que je faisais donc, au moment de m'évanouir ?

– Vous veniez d'annoncer que, cette année, les paysans de ce village pourraient garder assez de leurs récoltes pour se nourrir toute l'année.

– J'ai dit ça ?

– Oui, ce qui montre que vous êtes un très bon intendant : vous savez que si vos paysans ne sont pas assez nourris, ils ne travailleront pas bien pour vous.

L'intendant se releva avec lenteur et, sans rien ajouter, s'éloigna vers le château. Il était soucieux.

« Vraiment, se dit-il, il faut que je consulte un médecin. Pour promettre des choses pareilles, je dois être bien malade. »

trois

Au feu !

LE LENDEMAIN MATIN, Aymeri s'installa sur la place du village et battit le rappel sur son tambourin. Quand le village se fut rassemblé, il s'élança vers l'autre bout de la place, en sautant et en faisant la roue.

Au moment où il retombait sur ses pieds sous les applaudissements de la foule, il reconnut, à l'entrée de la rue, l'intendant du château qui frappait un gosse.

Il demanda autour de lui :

– Qui est cet enfant, et qu'a-t-il fait ?

– Le pauvre, répondit un vieil homme, il est orphelin et sans ressources. L'intendant l'a surpris en train de voler une cuisse de poulet dans les cuisines du château. Maudit intendant !

Il ne savait pas pourquoi, Aymeri détestait voir frapper les gosses.

Il fit résonner son tambourin et annonça :

– Regardez ! Regardez, braves gens, Aymeri le jongleur va vous surprendre et vous étonner, vous ébahir et vous époustoufler !

Puis il sortit de son sac cinq torches, les alluma et commença à jongler avec trois d'abord, puis quatre, puis cinq. Hélas ! Voilà que l'une d'elles s'envola comme par magie, et tomba pile dans la capuche de l'intendant.

Aymeri éteignit vite ses autres torches et les cacha dans son sac, tandis que l'intendant se mettait à brailler :

– Au feu ! Au feu !

Comme ça commençait à sentir le roussi, Aymeri se précipita pour arracher la cape.

– Quel malheur, monseigneur ! se lamenta-t-il. Vous avez failli rôtir comme un poulet. Si je n'avais pas été là…

L'intendant s'inquiéta :

– Que s'est-il passé ?

– Nous avons vu un éclair… et la foudre est tombée sur vous. C'est peut-être le Ciel, qui ne veut pas qu'on batte les enfants.

L'intendant jeta à Aymeri un regard soupçonneux. La foule riait en silence.

quatre

Nouvelle recette : l'œuf au vin

Au début de l'après-midi, il faisait chaud, et Aymeri était attablé à la terrasse de l'auberge, lorsque l'intendant arriva, l'air maussade, et commanda d'une voix autoritaire :

– Aubergiste ! Une chopine de vin !

– Oui, messire, cela fera deux deniers.

– Tu te moques de moi ! s'énerva l'intendant. Tu voudrais me faire payer ? Tu sais que j'ai le pouvoir de te faire renvoyer immédiatement de ce village si je le veux, alors prends garde à ne pas te montrer désagréable !

Il ne savait pas pourquoi, Aymeri détestait voir voler les gens.

Il se leva, avança sur la place et frappa gaiement sur son tambourin.

– Attention, attention, braves gens ! Aymeri le jongleur va vous sidérer et vous amuser, vous réjouir et vous stupéfier !

Il sortit de son sac, un à un, des œufs de toutes les couleurs, les fit rouler sur son bras droit, puis sur ses épaules et son bras gauche, et les rattrapa dans sa main gauche. Après quoi il les lança en l'air les uns après les autres et commença à jongler.

Au bout d'un moment, un à un, les œufs finirent leur course dans son sac où ils s'entassèrent, sauf l'avant-dernier (qui partit on ne sait où) et le dernier, qu'il rattrapa dans

sa bouche et goba tout cru. La foule applaudit.

On ignore comment, mais un œuf (peut-être l'avant-dernier, qu'on avait perdu de vue) se cassa sur le bord de la chope de l'intendant et son contenu plongea dans le vin.

Furieux, l'intendant se leva et vint mettre sa chope sous le nez d'Aymeri.

– Qu'est-ce que c'est que ça ? aboya-t-il.

Le jongleur regarda dedans avec attention et s'étonna :

– Comment, messire l'intendant, vous buvez votre vin à l'œuf cru ?... Et avez-vous seulement payé cet œuf ?

L'intendant fixa Aymeri de ses yeux pleins de rage, se saisit du tambourin et le creva sur son genou, avant de lancer avec fureur :

– Cette fois, tu ne m'auras pas avec tes bêtises ! Gardes ! Emparez-vous de lui !

Aïe ! Aymeri n'avait pas aperçu les gardes.

Il fut aussitôt entouré, attaché, emmené…
et il atterrit dans les prisons du château.

cinq

Des mains trop glissantes

LES PRISONS, AYMERI le jongleur s'en fichait pas mal. Il était le plus souple des acrobates, et aucune grille ne lui faisait peur. Aussitôt jeté sur la paille moisie, il se releva, bondit jusqu'au soupirail et, se faufilant adroitement entre les barreaux, il se glissa dehors. Puis il brossa d'un revers de main ses chausses[1] mi-rouges, mi-vertes. Maudit intendant ! L'enfermer, passe encore, mais salir ses plus

1- Chausses : sorte de pantalon moulant.

belles chausses et lui crever son tambourin, c'était insupportable !

Aymeri réfléchit : allait-il filer ainsi, sans rien faire pour punir l'assassin de son tambourin ? Bien sûr, cela aurait été raisonnable, mais Aymeri n'avait jamais été très raisonnable. Il résolut seulement d'aller se cacher un moment dans la forêt, le temps de réfléchir à sa vengeance.

Or, à peine s'était-il enfoncé dans le bois qu'il repéra un attroupement. Il s'aperçut avec stupéfaction que l'intendant était encore là et, cette fois, on aurait dit qu'il se préparait à pendre un homme.

– Que se passe-t-il ici ? chuchota Aymeri à une grosse femme qui pleurait.

– On pend mon mari.

– Qu'a-t-il fait ?

– Il a braconné sur les terres du seigneur et a capturé un lièvre ce matin. C'est que

nous n'avions plus rien à manger et nous avions si faim…

À ce moment, l'intendant leva un doigt vengeur en s'écriant :

– Voilà ce qui arrive à ceux qui braconnent sur les terres de leur seigneur, qui volent le gibier de leur seigneur ! Que cela vous serve de leçon !

Et il abattit sa main pour donner le signal de la pendaison.

La corde se tendit…

Il ne savait pas pourquoi, Aymeri détestait voir pendre les gens.

Oubliant toute prudence, il se rappela juste à temps qu'il était également lanceur de couteaux. Il se saisit de ses poignards… et voilà que ces malheureux lui glissèrent des mains, et que l'un coupa net la corde, tandis que l'autre entaillait maladroitement (!) l'oreille de l'intendant.

– Excusez-moi, monseigneur, implora aussitôt Aymeri, je m'entraînais à lancer mes poignards quand deux d'entre eux m'ont échappé.

– Gardes ! Emparez-vous de lui ! hurla l'intendant.

six

Aïe !

AYMERI FUT ENTOURÉ, capturé. Il ne résista pas. Il suivit un instant des yeux le braconnier qui s'enfuyait pour se mettre à l'abri de la forêt, puis il pâlit, verdit et se mit à trembler.

– Pardonnez-moi, monseigneur, gémit-il, je ne l'ai pas fait exprès.

– Qu'on le pende à la place de l'autre ! rugit l'intendant.

Aymeri cessa aussitôt de pleurer.

– Oh merci, seigneur ! s'exclama-t-il. S'il ne s'agit que d'être pendu, je ne crains rien.

– Ah tiens ! ricana l'intendant, messire le jongleur ne craint pas d'être pendu ! Pourquoi donc ?

– Parce que je sais que ce n'est pas ainsi que je mourrai.

– Ah… Et comment mourras-tu donc ?

– D'une mort détestable : une voyante m'a prédit que je périrais enchaîné et noyé.

– Ah bon ! ricana l'intendant. Eh bien, cette voyante, nous n'allons pas la faire mentir !… Qu'on le couvre de chaînes et qu'on le jette dans le lac !

Aymeri eut beau supplier de toutes ses forces, il fut tiré, traîné, enchaîné et emmené en barque jusqu'au milieu du lac.

Puis on le jeta par-dessus bord sans égard pour ses cris.

Les villageois restèrent muets. Ils regardèrent sans rien dire Aymeri s'enfoncer dans l'eau.

… À dire vrai, ils ne se faisaient pas trop de souci pour lui : ils savaient bien qu'Aymeri le jongleur était le plus grand contorsionniste de tous les temps, et que son tour le plus connu était de se faire enchaîner et de se libérer de ses chaînes sous l'eau. Il n'y avait guère que cet imbécile d'intendant pour ne pas le savoir !

Immobiles, ils attendirent donc avec curiosité ce qui allait se passer.

L'eau du lac redevint calme et plate, et voilà qu'une petite inquiétude les saisit : Aymeri le jongleur aurait-il raté son coup ?

L'intendant eut un rire mauvais :

– Vous avez vu ce qui arrive à ceux qui se croient les plus forts !

Puis il tourna le dos pour monter à cheval.

… C'est alors qu'on entendit un sifflement.

On ne sait comment, venant de l'autre bout du lac, une flèche vola et vint se planter en plein milieu de la fesse gauche de ce cher intendant. Peut-être que c'était le Ciel, qui ne voulait pas qu'on noie les gens.

On dit que, pendant des mois, l'intendant ne put s'asseoir, mais ce qui le faisait le plus enrager, c'était de ne pas comprendre comment il avait été blessé.

Les villageois, eux, ne se posèrent pas de questions.

… Sans doute une flèche malencontreusement échappée du carquois d'Aymeri tandis qu'il s'entraînait.

Table des matières

Evelyne Brisou-Pellen

Elle raconte si souvent des histoires qui se passent dans d'autres temps que, par moments, elle ne sait plus bien à quelle époque on vit.

Nous, on l'a déjà rencontrée, alors on est sûrs qu'elle vit avec nous, au XXIe siècle… Mais allez savoir !

Nancy Peña

Nancy Peña n'a jamais appris à jongler, même avec des crayons. Et quand elle ne sait pas faire quelque chose, au lieu de l'apprendre, elle le dessine.

C'est sans doute pour cela qu'elle a abandonné l'enseignement pour devenir illustratrice !

Pour les enseignants

Retrouvez sur notre site
www.nathan.fr/enseignants/jeunesse.asp
toutes nos **fiches pédagogiques** téléchargeables gracieusement,
ainsi que ce **catalogue feuilletable** en ligne.

Pour accueillir un auteur en classe, recevoir des informations ou pour toute autre demande, n'hésitez pas à nous écrire sur
contactjeunesse@nathan.fr

DÉCOUVRE UN AUTRE TITRE DE LA COLLECTION

La danse de Fiona

De Nathalie Somers
Illustré par Daphné Collignon

« Il était une fois, sur une île que l'on appelle l'Irlande, un jeune homme qui jouait très bien du violon. Son nom était Padraig O'Hara et il voyageait beaucoup. Chaque fois qu'il arrivait dans un nouvel endroit, on disait de lui que jamais on n'avait entendu meilleur « violoneux » dans tout le pays. Mais malgré son succès, il était resté modeste et se faisait partout des amis.

Un jour, comme il avançait sur une route caillouteuse, il vit un panneau annonçant « Kilmallock, 1 mile ».

– Un nouveau village ! s'exclama-t-il gaiement. »

Padraig ne sait pas encore que dans ce village, l'attend une rencontre, pleine d'amour, de musique et de magie, qui pourrait bien bouleverser sa vie…